全国都道府県委員長会議

目　次

全国都道府県委員長会議

志位委員長のあいさつ

2020年10月7日

都道府県委員長のみなさん、インターネット中継をご覧の全国のみなさん、おはようございます。

私は、幹部会を代表して、会議へのあいさつを行います。

昨日の幹部会では、安倍政権の退陣と菅新政権の発足という情勢の新しい展開、「党勢拡大特別月間」の成果を踏まえて、来たるべき総選挙での勝利と躍進、強く大きな党づくりをめざす活動の発展のための決議を決定しました。

今日の都道府県委員長会議の目的は、幹部会決議にもとづいて、この間の経験と教訓を交流し、全党の意思統一をはかることにあります。

私は、幹部会決議のいくつかの中心点について、冒頭に、発言しておきたいと思います。

幹部会決議の全体の組み立てについて

まず幹部会決議の全体の組み立てについてであります。

6月から9月までとりくんだ「党勢拡大特別月間」は、全党の大奮闘によって、きわめて重要な成果をあげました。

党員拡大で、「支部が主役」の新しい法則的な運動が開始され、3カ月連続で「現勢での前進」をかちとることができました。「特別月間」を通じて、新たに党の一員となった2790人の同志のみなさんに、心からの歓迎のあいさつを送ります。（拍手）

「しんぶん赤旗」の読者拡大では、大会現勢を回復・突破し、持続的な前進の軌道に乗せるという目標を基本的に達成することができました。

「特別月間」を通じて、私たちは、党建設で、長期にわたる後退傾向を抜け出し、前進へと転ずる重要な〝足掛かり〟を築くことができました。

新型コロナ危機というきわめて困難な条件のもとで、わが党ならではの献身性、不屈性が発揮され、未来に向けて発展性のある法則的な運動が開始されたことは、全党の深い確信にすべきことだと思います。私は、幹部会を代表して、全党のみなさんの大奮闘に心からの敬意と感謝を申し上げるものです。（拍

手）

幹部会決議は、こうした「特別月間」の大きな成果を踏まえて、二つの内容で党活動の発展をはかることを提起しています。

第一は、党活動の全体を、総選挙勝利を〝前面〟に、党員拡大を根幹とする党勢拡大を〝中心〟にしたものへと発展させることであります。「解散・総選挙ぶくみ」の情勢のもとで、これまでの活動を緊迫した情勢にふさわしく発展させることを呼びかけています。幹部会第一決議が、この課題について提起しています。小池書記局長が報告を行います。

第二は、党活動の〝中心〟と位置づけた党勢拡大運動について、「支部が主役」の党づくりという「大道」をさらに発展させつつ、世代的継承にも目的意識的にとりくむ運動へと発展させることであります。幹部会第二決議が、この課題について提起しています。山下副委員長が報告を行います。

幹部会決議を2本だてにしたのは、何よりも第28回党大会決定の精神を踏まえてのものであります。すなわち、党大会での二つの決議を踏まえ、当面の総選挙を勝ち抜くことと一体に、強く大きな党づくりの事業に特別の目的意識性をもってとりくむ強い決意にたってのものであります。

来たるべき総選挙の目標について

次に来たるべき総選挙の目標についてのべます。

幹部会決議は、来たるべき総選挙の目標について、「次の総選挙で政権交代を実現し、野党連合政権を樹立することを目標に掲げ、それに正面から挑戦する」ことを、党としての目標にすえました。

この目標は、党大会決定からさらに踏み込んだ目標となっています。すなわち、党大会決定では、「野党連合政権に道を開く」ことを目標に掲げましたが、そこから一歩踏み込んで、「野党連合政権の樹立に正面から挑戦する」ことを目標にすえました。

全党のみなさん。これは当然の目標ではないでしょうか。

何よりも、行き詰まった安倍政権の「継承・発展」を最大の看板にし、日本学術会議への違憲・違法な人事介入など前政権を上回る強権ぶりを早くもあらわにしている菅政権を、おめおめと続けさせるわけにはいきません。次の総選挙では、「安倍政治」もろとも菅政権を終わりにして、新しい政治への転換をかちとらなくてはなりません。それは、国民に対する野党の重大な責任であります。

この目標はまた、この間の市民と野党の共闘の前進にてらしても当然の目標であります。3年前――2017年の総選挙は、野党勢力に突然の逆流と分断が持ち込まれ、それをはねのけて共闘を守りぬくことが緊急の課題となった選挙でした。3年前の総選挙では政権交代は問題になりませんでした。

しかし、来たるべき総選挙は、3年前とは異なる条件のもとでたたかわれます。その後の国政選挙や地方選挙、国会内外でのたたかいで私たちは共闘を積み重ね、政策的一致点も豊かに発展するもとで、本格的な共闘でたたかう条件のある初めての総選挙となります。客観的にも、野党に、政権交代を実現する意思と覚悟が問われる総選挙となるでしょう。

そういう総選挙をたたかう姿勢として、いま野党に求められているのは、「次の総選挙で、菅政権を倒し、政権交代を実現する」というきっぱりとした決意を、国民に示すことではないでしょうか。いま、その決意を示さずして、何のための野党かということになります。さらに、「日本共産党を含む『オール野党』で野党連合政権を実現する」という合意を確認し、その決意を示すことではないでしょうか。

いま野党が、そうした決意をきっぱりと示してこそ、「この政治を変えてほしい」という多くの国民の期待に応えることができるし、野党の本気度が伝わり、情勢の前向きの大変動をつくりだすことができると、私たちは確信します。

ここで強調したいのは、来たるべき総選挙をそのような政権奪取の歴史的選挙にすることができるかどうかは、私たちのこれからの奮闘にかかっているということです。次の総選挙での政権交代と連合政権の実現を求める、草の根からの世論と運動の大きなうねりをつくりだしていくことが重要です。何よりもいま、「比例を軸に」した日本共産党躍進の流れ、躍進の政治的・組織的な勢いをつくりだすことが、来たるべき総選挙を政権奪取の歴史的選挙にしていく最大の力となることを、訴えたいと思います。

直面する総選挙で政権奪取を目標にすることは、98年の日本共産党の歴史でも初めてのことであります。

全党のみなさん。この歴史的挑戦に意気高くとりくもうではありませんか。（拍手）

「解散・総選挙ぶくみ」の情勢のもとでの党活動の構えについて

最後に、「解散・総選挙ぶくみ」の情勢のもとでの党活動の構えについてのべます。

菅政権へと政権が代わり、衆議院議員の任期満了まで1年と迫るもとで、「解散・総選挙ぶくみ」の情勢――解散・総選挙がいつあってもおかしくない情勢となっています。年内、もしくは年明けの早期解散の可能性があります。解散がそれ以降の時期になる可能性もあります。

そういう「解散・総選挙ぶくみ」の情勢のもとでの党活動の構えとして重要なことは、幹部会決議が訴えているように、総選挙勝利を〝前面〟に、党員拡大を根幹とする党勢拡大を〝中心〟にという姿勢を揺るがずに貫くことであります。

いつ解散・総選挙となっても勝利できるように、全有権者を対象にした選挙独自のとりくみに思い切って打って出ようではありませんか。

同時に、党活動の〝中心〟――党活動の重点はあくまでも党員拡大を根幹とした党勢拡大にあります。ここをおたがいに握って離さずに頑張りぬきたいと思います。

こういう時期に陥りがちな一番の危険は、解散の「様子見」になってしまって、党勢拡大という〝中心〟課題に力が入らなくなり、ずるずると後退してしまうことにあります。そうなってしまったら、総選挙の勝利の保障はなくなります。毎月、毎月、党勢拡大で前進をかちとり、解散・総選挙の時期がどうなろうと、党勢の大きな上げ潮のなかで歴史的選挙をたたかう。そうしてこそ勝利に道が開けることを訴えたいのであります。

この点で、幹部会第二決議の最後の部分の訴えに注目していただきたいと思います。『月間』でなくても党勢拡大で毎月前進を続ける党へと成長する」という、わが党にとっての新しい挑戦にとりくむことを訴えています。

とくに、まずは10月から12月の時期に、せっかく全党の力でつくりだした党勢拡大の前進の流れを絶対に中断しない。腰をすえて、断固として、党づくりにとりくむ。「支部が主役」の党づくりという「大道」を全党に広げつつ、世代的継承にも目的意識的にとりくむ。この活動をやりぬくことが総選挙勝利にとっての最大の力になります。

全党のみなさん。

次の総選挙で政権交代と連立政権を実現するという、党の歴史でもかつてない新しい挑戦に、本気でとりくもうではありませんか。

そしてこの大志ある挑戦にとりくむ以上は、この事業を支える党づくりにおいても、『月間』でなくても党勢拡大で毎月前進を続ける党へと成長する」という新しい挑戦にとりくもうではありませんか。

この二つの新しい挑戦をやりぬくために、全党が心ひとつに奮闘することを訴えて、あいさつといたします。（**拍手**）

（「しんぶん赤旗」２０２０年10月８日付）

全国都道府県委員長会議

幹部会第一決議

2020年10月7日

1、総選挙勝利を〝前面〟に、党員拡大を根幹とする党勢拡大を〝中心〟に

(1)「特別月間」――全党の奮闘で後退から前進に転じる〝足掛かり〟をつくった

第28回党大会後、全党は、新型コロナ危機という、かつて経験したことのない困難のもとで、「国民の苦難軽減」という立党の精神に立ち、国民の命とくらしを守る活動に献身しながら、強く大きな党をつくる努力を堅持・発展させてきた。

6月から9月までとりくんだ「党勢拡大特別月間」では、中心課題とした党員拡大で、約2万6千人に働きかけ、２７９０人が入党を申し込んだ。その結果、7月から3カ月連続で「現勢での前進」をかちとることができた。入党の働きかけに踏み出した支部も4割をこえた。目標とした党大会現勢の回復にはいたらなかったが、「支部が主役」の新しい党員拡大運動が開始され、「現勢での前進」が開始されたことは、重要な成果である。

「しんぶん赤旗」読者の拡大では、「月間」の目標であった「毎月前進をかちとり、『3割増』に向かう持続的な前進の軌道に乗せる」ことを基本的に達成した。最後の月となった9月に党大会現勢を回復し、「月間」全体を通じて日刊紙で７３６人増、日曜版で２８３２人増、電子版で３４０人の増勢をかちとった。「月間」の目標を基本的に達成し、さらに党大会から9カ月を経て現勢を維持・前進させたことは、歴史的快挙である。

第28回党大会決定は、党建設で後退から前進に転じる歴史的情勢が生まれていることを明らかにし、40年来の後退から抜け出し、党創立１００周年までに3割増の党をつくることを提起したが、私たちは「特別月間」の活

動を通じて、後退から前進へと転じる〝足掛かり〟をつくることができた。

これらは困難な条件のもとでの全党の大奮闘のたまものである。中央委員会幹部会は、全国の同志のみなさんに、心からの敬意と感謝を申し上げる。

（2）「特別月間」の成果を踏まえ、総選挙に向け、党活動の発展を呼びかける

「特別月間」の成果を踏まえ、今後の党活動をどうやって発展させていくか。

解散・総選挙がいつあってもおかしくない情勢となっている。年内、あるいは年明けの早期解散の可能性もあり、いつ解散・総選挙となっても勝利をかちとるための活動が重要である。総選挙勝利をめざす活動を、党活動の〝前面〟にすえ、すべての有権者を対象とした宣伝・組織活動に打って出ることを呼びかける。

同時に、党活動の〝中心〟に、引き続き、党員拡大を中心とする党勢拡大をしっかりとすえることが重要である。「特別月間」の奮闘によってつくられた党勢拡大の前進の流れを、絶対に中断させることなく、さらに発展させ、持続的前進の流れをつくりだすことは、総選挙勝利・躍進にとっての最大の保障となる。

総選挙勝利を〝前面〟に、党員拡大を根幹とする党勢拡大を〝中心〟にの構えを、全党が揺るがずに貫き、奮闘しよう。

2、菅新政権とどういう政治的構えでたたかうか

（1）安倍政治の「継承・発展」――行き詰まりと新たな危険

安倍政権に代わり、菅義偉《すがよしひで》氏を首相とする新政権が発足した。菅首相が国の政治のあり方について繰り返しているのは、「安倍政権の継承・発展」と「自助・共助・公助」の二つだけである。

しかし、7年8カ月におよぶ安倍政権は、内政、外交、政治モラル、新型コロナ対策など、あらゆる面で行き詰まりがあらわになり、辞任表明はその結果であった。行き詰まった政治を「全面的に継承」する菅政権では、新しい政治を求める国民の期待を裏切ることになることは必至である。いま政治がなすべきことは行き詰まった「安倍政治」の「継承」ではなく、「安倍政治」の転換であり、「負の遺産」の一掃である。

しかも、菅首相が「安倍政治の継承」とともに掲げた「発展」なるものの危険な中身が、早くも明らかになりつつある。日本学術会議の人事に対して菅首相が介入し、新会員候補105人のうち6人の任命を拒否した事態を「しんぶん赤旗」がスクープし、大きな問題に発展している。同会議が推薦した候補が任命されなかったことは過去に例がなく、今回の任命拒否は、憲法23条の「学問の自由」を脅かし、日本学術会議法にも反する、違憲、違法の暴挙である。これは、任命拒否

された6人だけの問題ではなく、日本学術会議全体の問題であるとともに、学問の自由と国民の権利の侵害であり、すべての国民にとっての重大問題にほかならない。

一連の事態は、菅政権が、より強権的で、ファッショ的な政権となる危険を示すものである。菅政権による強権政治を許さないために全力をあげよう。

(2)自己責任を押し付ける新自由主義の暴走か、おおもとからの転換か

菅首相が「政治理念」として掲げた「自助・共助・公助」なるものは、本来の政治の仕事である公的責任を放棄し、それに代わるものとして、「自助」——自己責任を押し付ける、むき出しの新自由主義のスローガンである。

「自助、共助」は政治が国民に押し付けるべきものではない。政治の仕事は「公助」——くらしを守り、良くする「公」の責任を果たすことにつきる。新型コロナ感染の広がりに苦しみ、歯を食いしばって努力している国民に対して、「まずは自分でやってみる」と自己責任を押し付ける政治では、国民の苦難は解決するどころか、ますます塗《と》炭《たん》の苦しみをもたらすことになる。

新型コロナ危機の体験を通じて明らかになったのは、人間は一人では生きていけな

目次

い、社会の力で支えることがどうしても必要であり、とりわけ国や自治体など公の支えが不可欠だということだった。「自己責任」を押し付ける新自由主義では、この社会はもはや立ち行かないことが明瞭になったのである。

破たんした新自由主義の暴走か、それとも、その道を大本から転換し、くらしを守り、良くする「公」の責任を果たす政治を実現するのか――いま、日本の進路をめぐる、大きな対立軸が浮き彫りになっている。

わが党は、党創立98周年記念講演で、新自由主義路線を転換し、新しい日本をつくるための「七つの提案」を行った。この提案をおおいに国民に語り、たたかいを広げよう。

(3)新型コロナ危機から命とくらしを守り、菅政権を終わらせ、新しい政治を

10月2日、日本共産党は政府に対して「新型コロナ危機から、命とくらしを守り、経済を立て直すための緊急申し入れ」を行った。党はひきつづき、新型コロナ危機から国民の命とくらしを守り、国民の苦難軽減のために全力をあげる。そのための国民的なたたかいを呼びかける。

くらしと経済、憲法、沖縄、原発、ジェンダー平等など、あらゆる分野で運動を広げ、市民と野党の共闘を発展させ、次の総選挙で「安倍政治」の「継承・発展」をかかげる菅政権を終わらせ、新しい政治をつくるために全力をあげよう。

性暴力被害者の相談事業をめぐって「女性はいくらでもうそをつけますから」と発言した自民党の衆議院議員に、大きな怒りが広がっている。性暴力に反対する「フラワーデモ」の主催者が呼びかけた、発言の撤回、謝罪と議員辞職を求めるウェブ署名は13万人を超えた。自民党の政治責任を問うとともに、ジェンダー平等社会の実現に力をあわせよう。

大阪市を廃止し、特別区をつくる「大阪都」構想の住民投票が11月1日投票で実施される。このたたかいは、大阪の自治と民主主義を守り、安倍政治の最悪の補完勢力として自己責任・新自由主義を押し付けてきた、日本維新の会の野望を打ち砕くたたかいである。全国から大阪への支援と連帯をつよめることを訴える。

3、総選挙にのぞむ、わが党の基本的な立場

来たるべき総選挙の目標は、第一に、市民と野党の共闘の勝利で、政権交代を実現し、野党連合政権を樹立することであり、第二に「850万票、15%以上」を得票目標に、日本共産党の躍進をかちとることである。

(1)市民と野党の共闘を発展させ、次の総選挙で政権交代を実現し、野党連合政権を樹立しよう

日本共産党は、次の総選挙で政権交代を実現し、野党連合政権を樹立することを目標に

掲げて、それに正面から挑戦する。

何よりも、行き詰まった「安倍政治」の「継承・発展」を最大の看板にし、発足直後から憲法も法律も無視した強権をふるい、新型コロナ禍に苦しむ国民に、「まずは自助」と自己責任を押し付ける菅政権を、このまま続けさせるわけにはいかない。次の総選挙でこの政権を終わらせ、新たな政権をつくることは、野党にとって当然の責任である。

この間の市民と野党の共闘の前進にてらしても、次の総選挙で野党が政権交代に挑戦する条件は大いにある。前回の2017年総選挙は、共闘が突然の逆流に直面するもとで、「市民連合」(「安保法制の廃止と立憲主義の回復を求める市民連合」)や他の野党のみなさんと力をあわせて、分断と逆流をはね返し、共闘を守り抜くことが課題だった。来たるべき総選挙は前回とは違い、その後の参院選や地方選挙などで共闘の経験を積み重ね、野党間の関係も一歩ずつ前進・発展する中で迎えるものとなる。

9月の臨時国会では、新・立憲民主党から、「菅政権を倒し政権交代を実現するために連携していきたい」と首相指名選挙での協力要請があり、日本共産党は、共闘をさらに進めることを願い、野党連合政権をつくっていくという意思表示として枝野幸男・立憲民主党代表に投票した。首相指名選挙において、今回のように、政権交代に向けた協力として、わが党が他党党首に投票したのは初めてのことである。ほかの野党もそろって枝野氏に投票し、衆議院では134票、参議院では78票が投じられた。衆議院でプラス100議席あれば政権交代が可能であり、そのことが現実的な目標として見えるところまで進んだ。

政策的一致点という点でも、従来の一致点に加えて、新型コロナ危機を体験して、「新自由主義からの転換」という方向が、野党間で共有されるようになってきた。9月25日には、「市民連合」が、日本共産党や立憲民主党など野党各党に、野党による政権交代を実現するための政策に関する要望書を提出した。この要望書は、昨年の参院選での13項目の政策提言を、新型コロナ危機や安倍政権の退陣などを受けて発展させたものであり、野党の共同の政策になる中身であるとともに、野党による政権構想の土台になりうるものである。わが党は、要望書に全面的に賛同するとともに、野党間の協議によってその内容をさらに豊かなものにしていくために力をつくす。

こうしたもとで、いま野党に求められているのは、「次の総選挙で、菅政権を倒し、政権交代を実現する」ことを宣言することであり、菅政権を倒した後の政権について、日本共産党も含めた「オール野党」で野党連合政権をつくることで合意することである。野党が、こうした姿勢をきっぱり打ち出してこそ、「政治を変える」という「本気度」が国民に伝わり、情勢の前向きの大変動をつくりだすことができる。

次の総選挙を政権交代と野党連合政権樹立をめざす選挙にできるかどうかは、国民の世論と運動、日本共産党の奮闘にかかっている。中央として、野党間の合意形成のためにあらゆる努力を行う。全党が一丸となって、国民の切実な要求にもとづくたたかいにとりくみ、総選挙で政権交代と連合政権を実現しようと訴え抜き、野党の政治的合意に向けた世論と機運を盛り上げていくことを訴える。何よりも総選挙勝利をめざす活動を〝前面〟に、党員拡大を根幹にした党勢拡大運動を〝中心〟にすえ、日本共産党躍進の流れをつくりだすことが、次の総選挙を政権交代と野党連合政権樹立を実現する歴史的選挙にしていく最大の力であることを銘記して、ともに奮闘しよう。

（2）「比例を軸に」をつらぬき「850万票、15％以上」を実現し、小選挙区での議席大幅増をかちとり、日本共産党の躍進を

来たるべき総選挙の比例代表選挙では、全国11ブロックのすべてで議席獲得、議席増を果たし、小選挙区では野党の選挙協力を成功させ、党の大幅議席増をめざす。

総選挙において、わが党が比例代表選挙で「850万票、15％以上」の得票を実現し、議席を大きくのばすことは、政権交代へのわが党の責任を果たすうえでも、日本の政治の前途を開くうえでも決定的に重要である。これは、なにがなんでも実現しなければならない、わが党独自の責任である。党の小選挙区候補を擁立した選挙区でも、他党の候補を野党統一候補とする選挙区でも、全党が「比例代表選挙」を「自らの選挙」として、あらゆる選挙戦の主舞台としてたたかい、過去のどの選挙でもなかった位置付けで「比例を軸に」を中心にすえてたたかうことを、強く呼びかける。

小選挙区において、野党統一候補の勝利とともに、日本共産党の候補者の必勝のために本気で奮闘することは、わが党の重大な責任である。小選挙区の予定候補者は、名乗りを上げた以上は、共闘と党の勝利を訴え、議席獲得に向けた決意を堂々と語りぬこう。事務所を設置し、ポスターを張り出し、街頭から党を語る先頭に立とう。

「アメリカいいなり」「財界中心」という二つのゆがみ、「歴史逆行」という古い自民党政治の行き詰まりをただす根本的改革の展望を持つ党の躍進は、さまざまな逆流をはねのけて市民と野党の共闘を前進させるためにも、日本の政治の根本的転換にとっても最大の力になる。

「比例を軸に」をつらぬいて「850万票、15％以上」をやりとげ、小選挙区での勝利もかちとり、日本共産党の躍進を必ず実現しようではないか。

来年1月の北九州市議選挙をはじめ、6月の東京都議選挙など政令市、県都など重要選挙がつづく。これからの一つひとつの中間選挙で着実に勝利を重ね、総選挙勝利の流れをつくりだそう。

4、総選挙勝利を前面にした、今後の活動の強化点について

（1）「支部が主役」の選挙戦――宣伝と対話・支持拡大に打って出よう

全支部・全党員が、ただちに総選挙を前面にした活動にたちあがることを呼びかける。

得票目標・支持拡大目標を決めた支部は34・1％、対話・支持拡大のとりくみ支部は16・6％、後援会をもつ支部は52・0％にとどまっている。すべての支部が、得票目標・支持拡大目標を決め、「支部が主役」の選挙

戦にたちあがり、宣伝、対話・支持拡大を本格化しよう。

比例・小選挙区候補を先頭に、国会議員と地方議員が、文字どおり全有権者を対象に「目で見え、声で聞こえる」宣伝に打って出よう。街頭からの訴えとともに、新型コロナ危機打開の党の提言をたずさえ、広い層との懇談にとりくもう。新型コロナ感染対策を徹底しつつ、大中小の「綱領を語り、日本の未来を語り合う集い」を、党の積極的支持者を増やす場としても位置付け、総選挙に向けた活動の「推進軸」として全国津々浦々で無数に開こう。

「毎日が選挙戦」の構えで対話・支持拡大をすすめ、これまでの党支持者はもちろん、この間生まれた新たなつながりにも一気に当たり、党への支持を広げる担い手になってもらう働きかけをつよめ、その結果を台帳・名簿に反映させよう。「立体作戦」で、党員、「しんぶん赤旗」読者、後援会員の拡大をすすめよう。

SNSの活動を、宣伝でも組織活動でも作戦の柱の一つにすえ、「草の根の党」の力を発揮して、日本共産党の政策と理念、党議員団の値打ち、魅力ある候補者の姿を発信しよう。

青年・学生の中で党の風を思い切って吹かせ、選挙活動を強めよう。

後援会活動を大きく発展させることも引き続き重要である。得票目標の達成にふさわしく、すべての支部に対応する後援会を確立し、後援会員を大きく増やそう。条件と必要に応じて個人後援会をつくろう。JCPサポーターへの登録と活動を広げ、気軽に参加しやすい後援会活動に力を注ごう。職場と分野別の後援会をいそいで確立しよう。

募金活動を思い切って強めよう。政党助成金を使った買収事件など、政治とカネをめぐり国民の怒りは大きい。「企業・団体献金も政党助成金も受け取らない日本共産党への募金を」と訴え、選挙財政をつくりだそう。

(2)積極的支持者を増やす活動——改定綱領の力で選挙をたたかおう

市民と野党の共闘をすすめながら、党の躍進をかちとるカギは、党の自力づくりとあわせて、積極的支持者を増やす活動にとりくむことである。

わが党が第28回党大会で、綱領を一部改定したことは、国民に党の魅力と値打ちを語り、積極的支持者を広げる絶大な力となることは間違いない。

新型コロナ・パンデミックのもとで、改定綱領の生命力が際立っている。

米国と中国の双方で体制的矛盾が噴き出すとともに、両国の対立が深刻化している。中国についての規定をあらため、どんな国の覇権主義にも反対する立場を明記した改定綱領は、わが党への誤解を解くとともに、日本政府の覇権主義への屈従外交を正し、自主・自立の平和外交への転換を訴える確かな指針となるだろう。

格差拡大、環境破壊という世界資本主義の矛盾が顕在化・激化し、「資本主義の限界」が指摘されるもとで、改定綱領で一段と豊かになった世界資本主義論、未来社会論は、わが党の魅力を伝える大きな力となるだろう。

「ジェンダー平等後進国・日本」の異常な実態が明らかになる中、改定綱領は、性差別や性暴力に反対し、ジェンダー平等を求めて、勇気をもって声をあげはじめた人々とともにたたかう、連帯の絆となるだろう。

改定綱領を指針に日本と世界の大局的展望

を明らかにした志位委員長の党創立98周年記念講演が感動をよび、深いところからわが党の役割に共感が寄せられている。記念講演ダイジェストDVDを活用し、全支部、全自治体・行政区、各分野で「集い」にとりくみ、日本共産党の政策や理念を丸ごと語ろう。

全党が改定綱領と党大会決定を深く身につけ、その力で総選挙をたたかい、必ず勝利しようではないか。

（「しんぶん赤旗」２０２０年10月８日付）

全国都道府県委員長会議

幹部会第二決議

2020年10月7日

1、党勢拡大の前進の流れを絶対に中断させず、継続・発展させよう

第28回党大会以降、全党は、改定綱領と党大会決定、とりわけ党大会第二決議を指針にした努力、「党員拡大を中心とする党勢拡大特別月間」（6月～9月）での大奮闘によって、党建設で長期の後退傾向から抜け出し、前進に転じる〝足掛かり〟を築いた。

いま、党づくりを前進させる、かつてない条件が生まれている。

第28回党大会決定が明らかにしたように、「日本共産党を除く」という壁が崩壊したことが党と国民との関係に大きな変化をもたらし、党建設で後退から前進に転じることを可能にする歴史的情勢が進行している。

くわえて、新型コロナ危機のもとで、国民の意識に、一過性でない、深いうねりのような前向きの変化が起こっている。自らの命とくらしに政治が直結していることを体験し、これまでになく多くの人々が政治と社会のあり方を問う声をあげ始めている。国民の苦難解決に力をつくすとともに、コロナ危機を乗り越えた新しい日本と世界の展望を示す日本共産党に、新たな注目が寄せられている。

それは、この間の若い世代や労働者の入党、「しんぶん赤旗」購読申し込みの急増にも示された。

「特別月間」の成果に立ち、党建設のかつてない条件をくみつくし、党員拡大を根幹とする党勢拡大の持続的前進をはかれるかどうか。第二決議が掲げた、党創立100周年までに「3割増」の党をつくる道のりは、ここからが本当の勝負となる。党の「世代的継承」の課題にも本格的に挑戦することが求められている。

中央委員会幹部会は、全党の努力でつくりだした党勢拡大の前進の流れを絶対に中断させず、次の方向で党建設・党勢拡大のさらなる発展をはかることを呼びかける。

①「支部が主役」の党づくりの「大道」をすべての支部に広げ、「3割増」に向けて党勢拡大を持続的な前進の軌道に乗せる。前回総選挙時水準の回復・突破、「3割増」をめざし、党員拡大でも「しんぶん赤旗」読者拡大でも、毎月必ず前進をかちとる。

②そのなかで「世代的継承」に目的意識的にとりくみ、党全体の力で「世代的継承」を成功させることに本格的に挑戦する。

「3割増」に向かう前進の流れをつくりだし、党の世代的継承のとりくみを強めることは、政権交代をめざす次の総選挙の勝利・躍進にとっても最大の保障となる。

全党が、総選挙勝利を〝前面〟に、党員拡大を根幹とする党勢拡大を〝中心〟にすえ、党建設・党勢拡大のさらなる飛躍をはかるために力をつくそうではないか。

2、「支部が主役」の「大道」を広げ「3割増」へ——全党がつかんだ確信を生かして

党大会後の全党の努力でつかんだ確信を生かすなら、「3割増」に向けて党勢拡大を持続的な前進の軌道に乗せることはできる。

(1)「支部が主役」の党づくりの「大道」が広がっている

第一は、「支部が主役」の党づくりの「大道」が広がっていることである。

「特別月間」では、〝支部で対象者をあげ、支部で働きかけに踏み出す〟〝党機関も支部も、何人に働きかけるかの目標をもち追求する〟〝入党した後も「楽しく元気の出る支部会議」や新入党員教育をしっかり行う〟という党大会第二決議にもとづく「支部が主役」に徹した党員拡大の努力が広がった。

入党の働きかけに足を踏み出した支部が、6月までの1割弱から7、8月は2割弱、9月は2割強へと前進し、「特別月間」の通算では42・8%となった。読者拡大の成果支部率も、党大会後の月平均で37・9%となり、前大会期を5・5ポイント上回っている。

「支部が主役」に徹した党員拡大は、支部を変え、党を変えつつある。支部と党員がもっている結びつきに光が当たり、より広い層、新しい層への働きかけとなっている。一回一回の働きかけに意味があることがつかまれている。読者拡大でも、支部が見本紙を活用し、紙面の力で購読を訴え、新しい読者を増やすとりくみが広がっている。『女性のひろば』をはじめ、定期雑誌普及の努力も強められている。「政策と計画」をもった支部活動への前進、新入党員が党勢拡大で奮闘する経験が生まれている。全党が党大会後とりくんできた党建設・党勢拡大の努力方向は、法則的で、理にかない、未来にむかって発展性のある、党づくりの「大道」である。

「支部が主役」の党づくりの努力を、あと

一回り広げるなら、党勢拡大を着実な持続的前進の軌道に乗せることができる。さらにもう一回り広げるなら、党創立１００周年までに「３割増」を達成する道が開ける。このことを、全党の共通の確信にして、「支部が主役」で党勢拡大を追求する「大道」を、うまずたゆまず貫き、いっそう広げ、党員拡大も、読者拡大も、着実な持続的前進の軌道に乗せようではないか。

「支部が主役」の党づくりの「大道」を、すべての支部に広げるためには、党機関の活動強化が不可欠となっている。「支部と党員がもつ力を引き出せる党機関」になるよう、第二決議にもとづく活動の刷新と体制強化に力を注ごう。支部と党員の「よりよい社会にしたい」「政治を変えたい」「そのために党を強く大きくしたい」という願いに心を寄せ、すべての支部に足を運ぼう。

(２)長期の後退からくる惰性をふっきり、新たな前進を開始しつつある

第二は、中央と全党が一体になって、党建設のあらゆる面で、長期の後退からくる惰性に自己分析のメスを入れ、第二決議にもとづく改革・発展にとりくんだことである。

全国機関紙部長会議（２月）では、さまざまな困難を理由に「後退しても仕方ない」という姿勢に陥っていたことを自己検討し、「しんぶん赤旗」発行の危機を打開するため、どんな条件のもとでも毎月前進に執念をもってとりくむことを固く意思統一した。

全国組織部長会議（３月）では、党員拡大を入党数だけで評価し、現勢では連続後退していることを直視しない弱点があったことを反省し、「現勢での前進」を基準にすえ、毎月前進をはかる決意を固めた。

全国学習・教育部長会議（３月）では、こ

目　次

の間の党大会決定の読了が3割台、4割台という状況を必ず打開し、綱領を血肉にし、理論的確信にあふれる党をつくることを、全党の決意とすることを呼びかけた。

全国青年・学生部長会議（3月）では、大学ごとの党組織の現状をあきらかにし、学園に党支部をつくることを呼びかけた。

これらを、中央自身の自己検討として率直に提起したことが、全党にうけとめられ、中央と全国の党組織が心を一つにして党建設にとりくむ転機となった。4月以降、コロナ危機が深刻化するもとでも、党員の命と健康を守りながら、「国民の苦難軽減」の活動と党建設を維持・前進させるための知恵と力を発揮する土台ともなった。こうした努力によって、わが党は、長期の後退からくるさまざまな惰性をふっきり、新たな前進を開始しつつある。このことに確信をもって、今後の党づくりにのぞもう。

（3）改定綱領がすべての党活動を発展させる土台として生命力を発揮している

第三は、改定綱領がすべての党活動を発展させる土台として、その生命力を生き生きと発揮していることである。

新型コロナ危機のもとで、日本と世界の進路を指し示す改定綱領の力が際立っている。①新自由主義の破たん、②世界資本主義の矛盾、③国際社会の対応力、④人類史のなかでのパンデミック、という四つの角度から改定綱領の生命力を明らかにした党創立98周年記念講演は、新型コロナ危機のもとで起こっている国民の一過性でない深いうねりのような変化と響きあい、「共産党はコロナ後の社会の明確な展望をもっている。資本主義のゆきづまりが大本にあると明らかにしているのはすごい」（大企業職場の30代の労働者）など党内外で感動をよび、入党の動機にもなっている。

記念講演ダイジェストDVDと『入党のよびかけ』カラーパンフを活用し、改定綱領を語り、日本の未来を語り合う「集い」に全国津々浦々でとりくもう。いま4割強となっている改定綱領の読了で、一刻も早く5割を突破し、7割、8割へと前進させ、綱領の科学的確信で結ばれた党をつくるために力をつくそう。「改定綱領学習講座」の学習運動に、新たな決意でとりくもう。新入党員教育の修了、党生活確立の3原則（支部会議への参加、日刊紙の購読、党費納入）を重視し、迎えた新入党員が成長できる党に前進しよう。

これらの三つの確信を生かし、「3割増」に向かって党勢拡大を着実な持続的前進の軌道に乗せるために、新たな挑戦、新たな奮闘を開始しようではないか。

3、「大道」を広げるなかで「世代的継承」の意識的追求を——三つの努力を強めよう

(1)「大道」を広げるなかで、世代的継承でも前進をつくりだしている党組織が

党大会第二決議は、「青年・学生と労働者、30代~50代など、日本社会の現在とこれからを担う世代のなかで党をつくることに特別の力を注ぎ、この世代で党勢を倍加する」という目標を掲げた。それは、「わが党の事業を、若い世代に継承することは、緊急で死活的な課題となっている」からに他ならない。

党の世代的継承をいかにして成功させるか。党大会後、「支部が主役」の党づくりの「大道」を広げる努力のなかで、世代的継承を目的意識的に追求し、この面でも前進をつくりだしている党組織が生まれていることは重要である。

埼玉・さいたま地区委員会は、「特別月間」で約6割の支部が入党の働きかけに足を踏みだし、348人に働きかけ、31人を党に迎えているが、うち50代以下が14人となっている。党大会後、地区の「総合計画」で、50代以下の倍加、20代以下の3倍化をめざすことを決め、支部のもつ結びつきのなかで50代以下に目が向くようになった。地区委員長は、「〝若い世代は若い世代じゃないと働きかけられない〟ということではうまくいかない。支部は50代以下のつながりを持っている。コロナ危機を体験し、30代から40代、50代の変化は大きいと思う。その世代を迎えれば今度は、迎えた党員の子どもたちが民青の対象になってくる」と述べている。

「支部が主役」の党づくりの「大道」を広げながら、そのなかで世代的継承を意識的に追求する。党全体の力で若い世代に働きかける——ここにこそ世代的継承を成功させるカギがある。

(2)党大会第二決議を指針に、三つの努力を強めよう

第二決議は、その全体が世代的継承の方針となっている。全党が、党大会第二決議を最大の指針にして、次の三つの努力を強め、世代的継承を成功させよう。

第一は、党のもつ結びつきを生かし、若い世代に視野を広げて、継続的に働きかけることである。

支部と党員は、若い世代とのつながりをもっている。「特別月間」では、「すぐ党に入りそうな人」だけでなく、「党に入ってほしい人」「党のことを知ってほしい人」「数カ月、1年、2年と継続的に働きかけていく人」を広く出し合い、広く働きかける党員拡大にとりくんだ。この努力は、若い世代の結びつきに光をあて、働きかけていくためにも極めて重要である。結びつきを生かし、「ともに学び、ともに成長する」姿勢で、若い世代に広く働きかけよう。

第二に、若い世代に広がる切実な要求、多様な運動に目を向け、参加し、応援することである。

党創立98周年記念講演で提起した新自由主義の転換をめざす「七つの提案」は、どれも青年・学生、労働者、30代～50代にとって切実な要求となっている。各地で、医療、学費、雇用、教育、文化・芸術、ジェンダー平等などの課題で、若い世代が主役となった運動が起こっている。若い世代が、日本社会にはびこる「自己責任」論を乗り越え、政治と社会のあり方を問う声をあげはじめていることは大きな希望である。

わが党は、この流れを全力で支え応援する。すべての支部が、「相手から学ぶ姿勢を大切に、相互に多様性を尊重して力をあわせる」ことを心がけ、若い世代の運動に参加し、応援しよう。

第三は、党に迎えた若い世代が、生き生きと活動できる党へと前進することである。

若い世代の党員の成長を支えている支部に共通しているのは、入党の初心をリスペクト（尊敬）し、その意欲を尊重して力を発揮してもらっていること、政治討議や綱領の集団学習を重視し、双方向で語り合い、疑問や気になることを何でも聞ける場にしていること、新入党員がチャレンジした活動を支部で励ましあい、党活動を実践する喜びと自信を育むことなど、「楽しく元気の出る支部会議」を軸にした努力である。

若い世代の党員とベテラン党員が相互にリスペクトし、若い世代の党員の成長を支部活動の太い柱にすえ、若い世代の党員の成長が同世代を党に迎える力となっている経験も生まれている。

第二決議が示した党活動の改革・発展の方向を、支部で具体化し、若い世代の初心と可能性が生きる党をつくろうではないか。

（3）党機関が世代的継承を「死活的課題」と位置づけ、揺るがず追求を

全党がこうした努力を強めるうえで、党機関の果たす役割は極めて大きい。支部と党員のもつ力を引き出して世代的継承で前進している党機関に共通しているのは、「党組織の現状のままでは党の未来はない」と、世代的継承を文字通り「死活的課題」として位置づけ、いつでも、どんなことがあっても揺るがず追求し、そのための独自の体制をつくっていることである。

その点で、党大会後、県・地区委員会が若い世代の学習と交流の場を保障する豊かな実践が広がり、若い世代のなかで「この党の未来は私たちがつくる」など頼もしい声が出ていることは重要である。

労働、医療・福祉、教育、業者、女性、青年・学生など、各分野の運動の発展と結んで、党の世代的継承の前進をはかる系統的な努力を強めている党機関が生まれていることも貴重である。

中央委員会は、さまざまな課題に手をとられ、世代的継承のとりくみが事実上脇に置かれることを絶対に起こさない決意で、党機関の総力をあげたとりくみの先頭にたって奮闘する。

党創立100周年に向け、全党の力で、世代的継承を成功させ、日本社会の現在と未来に責任をもつ党をつくろうではないか。

4、民青同盟への援助を特別に重視しよう

新型コロナ危機のもとで、民青同盟が大きな社会的役割を果たしている。民青が1万人から集めた「実態調査アンケート」は、「派遣切りにあい、仕事が見つからない」「今月から社会人のはずだったが、内定取り消しになった」など、コロナ禍による青年・学生の深刻な実態を可視化した。民青が中心となってとりくんでいる学生への食料支援活動は、全国各地に広がり7000人が利用している。学生の2割が退学を検討するもとで、「バイトがなくなり、2、3日ご飯抜きはふつう」などの切実な声が寄せられるとともに、今度は自分が支える側にとボランティアを買って出る学生が広がっている。

民青同盟の存在と活動がこれほど輝いているときはない。いま、民青同盟の組織的前進をかちとる絶好のチャンスである。11月に開催される民青同盟全国大会の成功へ、同盟員拡大を党と民青の共同の事業としてとりくみ、全国大会めざす目標を達成しよう。党として次の方向で民青同盟への援助を強めることを呼びかける。

① 対応する民青同盟が、学生への食料支援、学費の負担軽減などの活動に踏み出すことができるよう、民青の県・地区・班を激励・援助しよう。

② 現在、対応する民青班がない党地区委員会が4分の1に及んでいる。党の県・地区は、対応する民青班を再建・強化する手だてをとろう。

③ 改定綱領と科学的社会主義の学習など、民青同盟への学習の援助を抜本的に強化しよう。とくに民青県委員会への系統的な援助を重視しよう。

④ 同盟員の生き方、活動について日常的な相談相手となるための党の体制づくりをすすめよう。

5、「月間」でなくても前進を続ける党に——新たな挑戦にとりくもう

最後に訴えたいのは、「月間」でなくても党勢拡大で毎月前進を続ける党へと成長することである。これは、わが党にとっての新しい挑戦となる。

率直に言って、これまでわが党の歴史で、さまざまな党勢拡大の「月間」「大運動」がとりくまれてきたが、期間が終了すると、せっかく築いた党勢の峰が後退することが多かったのが実情である。しかし、そうしたことの繰り返しでは、何のための「月間」だったかということになり、結局、党勢の前進を築くことができないことは、事実が証明している。この面でも、惰性をふっきって、党勢拡大で前進を続ける党に成長することを、中央委員会幹部会としても固く決意するとともに、全党のみなさんに心から訴える。

そのことが最初に問われるのが、今年10月から12月の時期である。解散・総選挙ぶくみ

の緊迫した重要なこの時期に、全党の大奮闘によって、ようやくつくりだしてきた党勢拡大の前進の流れを、どんなことがあっても中断することなく、毎月、発展させよう。そのなかで目的意識的に「世代的継承」の事業を前進させよう。

それは困難であっても決して不可能ではない。そういう新しい質での党建設・党勢拡大運動が可能となるような法則的運動――党づくりの「大道」を、党大会後の努力、「特別月間」の奮闘をつうじて、全党が切り開きつつある。「特別月間」のなかで約2万6千人に入党を働きかけたことも、さらなる前進に向けた新しい条件である。これらに確信をもって、この道をひたむきに進むことを心から訴えるものである。

（「しんぶん赤旗」２０２０年10月8日付）

全国都道府県委員長会議
幹部会第一決議
小池書記局長の討論のまとめ

2020年10月7日

28人の都道府県委員長が発言されました。幹部会決議が文字通り真正面から受け止められ、決意が語られ、深められる、そういう討論になったと思います。2点述べたいと思います。

次の総選挙での政権交代を堂々と訴えよう

一つは、党大会決定で、「野党連合政権に道を開く」としていたものを、「次の総選挙で政権交代を実現し、野党連合政権を樹立する」と、一歩踏み込んだ提起をしたことが、たいへん歓迎されました。そして、政権交代を実現する、政権を取りにいく、その水準で党活動をやっていこう、選挙準備も党勢拡大も飛躍させようという決意が、それぞれから語られました。

これに関連して、党大会では、「850万票、15％以上にむけた得票目標、支持拡大目標をもち挑戦する」となっていましたが、幹部会決議では「850万票、15％以上を実現する」と明確にしています。次の選挙で掛け値なしに、「850万票、15％以上」を実現するための手だてをとることが、総選挙にむけた具体的な仕事になってきます。

すでに、各比例ブロックで決定している比例代表の得票目標を合計すると963万4千票になりますので、全体としては850万票を超える目標を掲げて選挙準備が取り組まれています。これを支部の段階にまで徹底し、「850万票、15％以上」という全国の目標に対応する、支部としての支持拡大目標、得票目標をただちに具体化し、宣伝と対話、支持拡大にうってでようではありませんか。

「次の総選挙で政権交代を実現し、野党連合政権をつくる」という目標について、全国から感想文が133通届いていますが、「実感がわかない」という方はほとんどおられません。これまで野党共闘を実際に取り組んできた実感として、確実に前進していることが共通の認識になっているのではないでしょうか。千葉県では、袖ケ浦《そでがうら》市議選で、野党連合政権をめざしていることを訴えたら、「そのことをもっと訴えてほしい」と住民から声をかけられたそうです。長野では、衆院長野4区の小選挙区候補・ながせ由希子さんが、「政権を奪取して、野党連合政権をつくろう」と訴えると、目の前でぐっと反応が変わる、相手が変化していったとのことでした。「次の選挙で政権交代を」と、臆《おく》することなく堂々と訴えていけば、「政治を変えたい」と思っている市民には必ず響くはずです。今日の会議に参加している県委員長のみなさんを先頭に、「次の総選挙で政権交代を実現し、野党連合政権を実現する選挙にしよう。そのためにも日本共産党躍進の流れを」と語りぬこうではありませんか。（拍手）

そういう勢いを共産党が、「自らつくる」ことが大事だと思います。

兵庫県委員長が、「『比例を軸』に躍進の勢いをつくることが大事だ。共闘相手の支持者にも、日本共産党の政策や理念、野党共闘の立場が伝わるような大宣伝と対話で、〝日本共産党と一緒にたたかって結構〟〝共産党と一緒なら安心だ〟と受け止めてもらうようになる、〝日本共産党の勢いはすごい、一緒にやらないと損だ〟と思ってもらえるような勢いをつくる、さらには、比例の投票は野党共闘に真剣に取り組む日本共産党にというところまで持っていく活動を展開していくために、知恵と力を尽くしていきたい」と発言されましたが、こういう構えが本当にいま大事ではないかと思います。

政権交代のためには、野党全体が伸びなければなりませんが、わけても私たち共産党が躍進することがどうしても必要です。共産党の躍進なしに政権交代はあり得ません。そしてこれは、わが党独自の責任ですから、そのことをしっかり腹にすえて、来たるべき総選挙にのぞんでいこうではありませんか。（拍手）

「月間」の流れを発展させ、〝総選挙勝利を前面に〟〝党勢拡大を中心に〟を相乗的に

二つめに、それでは具体的にどう進めるのか。この点では、〝総選挙勝利を前面に〟〝党員拡大を根幹とする党勢拡大を中心に〟という提起が、「非常にわかりやすい」「スッキリした」「受け止めやすい」という感想が寄せられています。

今日の討論でも、そうした発言が続きました。この点で、埼玉県委員長が発言されたように、幹部会決議は、〝選挙が近づいたから選挙型に切り替えるということではない〟という点が大事ではないかと思います。選挙準備が新たに加わってまたひとつ仕事が増えたと、大変だと、そういうことではなくて、「特別月間」でこれだけの成果をつくったわけで、エンジンがもう温まっているわけです。「特別月間」の奮闘によってつくられた「支部が主役」の「大道」を歩みはじめた党勢拡大の流れを絶対に止めずに、失速をさせずに、発展させていく。これを〝中心に〟すえて、持続的前進の流れをつくりだすことが、相乗効果にもなり、総選挙勝利・躍進にとっての最大の保障となります。新たに総選挙準備という仕事が加わって、〝背中にしょって重い〟と嘆くのではなくて、まさに自然な流れで進めていくことが大事だと思います。

「次の総選挙で政権交代をと訴える」、そして「総選挙勝利を前面に、党勢拡大を中心にすえる」という、幹部会決議の二つの提起に正面から取り組みましょう。そのためには私も含めて、中央の構えも問われていると思い

ます。菅政権を一刻も早く打倒し、政権交代を実現し、野党連合政権を樹立し、新しい政治をこの国につくっていこうではありませんか。最後に心から訴えて、討論のまとめとします。（**拍手**）

（「しんぶん赤旗」２０２０年10月９日付）

全国都道府県委員長会議

幹部会第二決議

山下副委員長の討論のまとめ

2020年10月7日

積極的な討論、ありがとうございました。

「支部が主役」の「大道」が豊かに裏づけられた

まず、幹部会第二決議は、「『支部が主役』の党づくりの『大道』が広がっている」「全党の努力でつかんだ確信を生かすなら、『3割増』に向けて党勢拡大を持続的な前進の軌道に乗せることはできる」と述べましたが、そのことが討論で豊かに裏づけられたと思います。

新潟県委員長が「この3年間で『月間』や『大運動』に3回取り組んだが、大きく変化している点は、入党の働きかけに足を踏み出した支部が28％から40％へ、1・4倍に広がったことだ。『支部が主役』の党員拡大に少し光が見えてきた」と語られたことは、印象的でした。そして三つの教訓を紹介されました。一つは、すべての支部で対象者を出しあうこと。54％の支部が対象者を出したことが、全支部が党員拡大に足を踏み出す土台になるだろうということでした。二つは、機関役員が支部に入って党員拡大で頑張ること。三つは、「入党の働きかけに失敗はない」ことを幹部が実感すること。県委員会総会でそのことを掘り下げて議論したことが支部の背中を押す力になった、ということでした。

滋賀県委員長は、幹部会決議が「『支部が主役』に徹した党員拡大は、支部を変え、党を変えつつある」としている点を「その通り」と述べました。また、決議が「全党が党大会後、とりくんできた党建設・党勢拡大の努力方向は、法則的で、理にかない、未来にむかって発展性のある、党づくりの『大道』である」と述べていることも「その通り」と受け止めてくれました。実は、10月3日の県委員会総会で「こういう努力をさらに一回り広げるなら3割増はできる」ということを確認し合ったということでしたので、もう「言わずもがな」でした。党大会後の努力、「特別月間」の努力のなかで、みずからつかみとった確信だったということを示す発言でした。

愛媛県委員長が「『支部が主役』の党づくりで明らかに質が変わってきている。この取り組みは一過性の取り組みではなく、次に広がる取り組みだ」と発言されたことも、きわめて重要だと思います。

党大会後の努力、「特別月間」での大奮闘が党を変えている。そして、この努力方向は発展性があり、いよいよこれから力を発揮する努力なのだということが、こもごも自信をもって語られたことは、全党の気持ちを代表するものであり、全党の確信ではないかと思います。この道をひたむきに進むなら、党勢拡大を持続的前進の軌道に乗せ、党創立100周年までに3割増の党をつくることはできる。ここに確信をもち、この確信を全党に広げ、党づくりの後退傾向を前進へと転じる。そのために頑張ろうではありませんか。（拍手）

「党機関の活動強化」の努力に学ぼう

その点で、幹部会決議が「党機関の活動強化」を提起したことが討論で深められました。

鳥取県委員長は、西部地区の努力を紹介されました。「支部から喜ばれる地区になる。そのことを大事にしていこう」と、支部と一緒に、どんな支部になるのかのスローガンを考えているとのことでした。「日進月歩」などオリジナリティーのあるスローガンを、一つひとつの支部に足を運んで、支部と一緒につくっている。「『支部が主役』の党づくり」の党機関の努力として大変参考になったのではないかと思います。

長崎県委員長は、「井戸を掘るなら水が出るまで掘ろう」を合言葉に、支部と一緒に足を踏み出すまで、成果を上げるまで援助していると発言されました。「少し手ごたえが出たところで『月間』が終わった」とのことですから、まだ水はちょっとしか出ていない。全党的にも同じような状況だと思います。もっと支部に入って、もっとたくさん水をくみあげようではありませんか。

世代的継承の意識的追求を

もう一つ強調したいのは、幹部会第二決議が、「『支部が主役』の党づくりの『大道』を広げながら、そのなかで世代的継承を意識的に追求する」と提起したことです。この提起も、全党から歓迎されています。党内通信で報告を視聴した同志からの感想文で「世代的継承の新たな方針を歓迎する」という声、そして「この方針で挑戦してみよう」という決意がたくさんの方から届いています。世代的継承が緊急で死活的な課題だということは、みんなが感じていたことです。その課題で、この方向で挑戦してみようという新たな意欲と決意が、視聴していただいた方から出ているのは、たいへん心強いことだと思います。（拍手）

討論では、若い世代の中での大きな変化もリアルに語られました。北海道委員長は、8月に「赤旗」購読をみずから申し込み、支部と一緒に記念講演DVDを見て、9月に入党した36歳の女性が、SNSで「私、共産党に入党しました。みなさんも入党しましょう、『赤旗』を読みましょう」と発信すると、友達から「私も入りたい、私も読みたい」という返事が次々と来ているということを紹介されました。また、20代の専門学校に通う学生が、共産党の宣伝で足を止めて、インターネットで共産党のホームページを見て「共産党に入るにはどうしたらよいですか」と話しかけてきた、ということも紹介されました。

東京都委員長は、「赤旗」を見て共産党に関心をもった若い方が、「共産党のことをもっと知りたい、共産党にはインターンシップの制度はないのか」と党事務所を訪ねてきたことを紹介されました。

いま、コロナ危機を体験して、新自由主義の破綻を見抜き、資本主義の限界を感じ、どうすればもっと良い日本と世界をつくることができるのかを模索するという、大きな変化が若い世代のなかに起こっています。そのことと私たちの党の活動や主張とが見事にかみあっていることを、リアルに交流することができたと思います。この若い世代の変化をとらえ、新しい方針で全党の力を発揮して、若い世代のなかに党をつくる事業をやりとげようではありませんか。

新しい挑戦は10月からが勝負です。10月にこれまでの努力を途切れさせないことが、この瞬間から問われることになります。党中央としても、みなさんと一緒に必ず10月の前進をかちとる決意を述べて、まとめとします。

（**拍手**）


（「しんぶん赤旗」２０２０年10月９日付）

全国都道府県委員長会議

志位委員長の閉会あいさつ

2020年10月7日

お疲れさまでした。最後に一言、発言をしたいと思います。

昨日の幹部会と、この都道府県委員長会議は、わが党にとって歴史的会議になったと思います。党の98年の歴史で、初めて、次の総選挙で政権奪取を実現する、この決意を固めた会議になりました。

そういう選挙にできるかどうか。すべてはこれからの私たちの活動にかかっています。政権交代と連合政権を求める世論と運動をつくりだすことが重要です。そして、わけても日本共産党の躍進を二つの意味でつくりだす、これが決定的な意味をもつということを最後に訴えたいと思います。

現瞬間に日本共産党の勢いが国民にびんびんと伝わるような活動を

第一は、現瞬間、つまり10月、11月、12月、この現瞬間に、日本共産党躍進の勢いをつくりだすということです。政治的にも組織的にも躍進の勢いをつくりだす。政治的にというのは、総選挙勝利を〝前面〟にした活動ということです。組織的にというのは、党員拡大を根幹とした党勢拡大を〝中心〟課題にすえて推進することです。この両面で、党の躍進の勢いが、国民にびんびんと伝わるような活動を、現瞬間、とくに年内に、行えるかどうかが、一つの勝負どころだということを訴えたい。

私たち日本共産党としては、次の総選挙で政権交代を実現し、連合政権をつくる、この決意を固めあったわけですが、これを野党全体の決意にする必要があるわけです。他の野党のなかにも、そこまで踏み込もうという動きはあります。それを野党全体の決意にしていくことができるかどうか、これは、私たちの今のたたかいにかかっているわけです。そういう意味で、まさに現瞬間に、党躍進の勢いをつくりだそう。そのことを訴えたいと思います。**（拍手）**

「比例を軸に」、「850万票、15％以上」という目標を掛け値なしに実現する

第二は、総選挙において、「比例を軸に」、「850万票、15％以上」という目標を、掛け値なしに実現するということであります。つまり850万票という目標は、2回か、3回かの国政選挙で到達すればいいという目標ではありません。次の総選挙で政権奪取を実現しようという決意を固めたわけですから、その時に「850万票、15％以上」をやらなくていつやるのか、ということになろうかと思います。（拍手）

じっさいに政権交代と連合政権を実現しようと思ったら、もちろん野党勢力全体の躍進は必要ですけれども、そのなかで日本共産党の躍進なくしては、絶対に連合政権はつくれません。まさにそれは私たちの責任なんだと肝に銘じて、「850万票、15％以上」という目標を、まさに掛け値なしに今度の選挙でやりぬく、という構えに立って頑張りぬきたいと思います。

連合政権ができたとしまして、できた後のことを最近いろいろと考えることが多いんですが、そういう心配までしなくていい（笑い）というわけにはいかないので、いろいろと考えるわけですが、できた場合に、この新政権が国民の願いにそった政治を実行し、しっかりと前進するためにはたいへんな力が必要だと思います。支配勢力はさまざまな妨害や攻撃もしてくるでしょう。それを打ち破って、新政権を支え、前進をかちとらなければなりません。もちろん、国民的な世論と運動こそが、新しい政治を進める最大の原動力となるでしょう。同時に、強大な日本共産党国会議員団がなかったら政権を支え、前進させることはできません。そして全国に草の根で日本共産党の党組織が国民と結びついて前進するという党建設のうえでの高揚がなかったら、新しい政権を支え、前進させることはできません。

そのことを考えても、今度の総選挙で、まさに「850万票、15％以上」を掛け値なしに実現していく。そして、そのためにも強く大きな党を、うまずたゆまずつくっていく。この仕事に取り組みたい。そのことを訴えまして、閉会のあいさつといたします。ともに頑張りましょう。（拍手）

（「しんぶん赤旗」2020年10月9日付）

—ＭＥＭＯ—

—MEMO—